ADIVINA
CUÁNTO
TE QUIERO

Para Liz con amor
A. J.

Título original: *Guess how much I love you*
Edición con DVD publicada con el acuerdo
de Walker Books, London, 1994, 2006
© Texto: Sam McBratney, 1994, 2005
© Ilustraciones: Anita Jeram, 1994, 2005
© De esta edición: Editorial Kókinos
Primera edición: 2008
Segunda edición: 2010
www.editorialkokinos.com
Traducción de Esther Rubio

ISBN: 978-84-96629-88-2

ADIVINA CUÁNTO TE QUIERO

Escrito por
Sam McBratney

Ilustrado por
Anita Jeram

KóKINOS

Era la hora de dormir.
La liebre pequeña color de avellana
se agarraba fuertemente a las orejas de la
gran liebre color de avellana.

Quería estar segura
   de que la liebre grande la escuchaba.
   «Adivina cuánto
   te quiero», le dijo.

«¡Uf!, no creo que pueda adivinarlo»,
contestó la liebre grande.

«Así», dijo la liebre pequeña
abriendo los brazos todo lo que podía.

La gran liebre color de avellana
tenía los brazos aún más largos:
«Pues yo te quiero así», le respondió.

«¡Umm…, cuánto!»,
pensó la liebre pequeña.

«Yo te quiero hasta aquí arriba», añadió la liebre pequeña.

«Y yo te quiero hasta aquí arriba», contestó la liebre grande.

«¡Qué alto…!
¡Ojalá yo
tuviese brazos
tan largos!»,
pensó la liebre
pequeña.

Entonces tuvo
una idea:
se puso boca
abajo
apoyando las
patas
sobre el
tronco de un
árbol.

«Te quiero
hasta la punta
de mis pies»,
dijo.

«Y yo te quiero hasta la punta de tus pies», dijo la liebre grande color de avellana alzándola por encima de su cabeza.

«Te quiero
todo lo alto
que pueda saltar»,
se reía la liebre
pequeña

dando brincos

arriba y abajo.

«Pues yo te quiero todo lo
alto que pueda saltar»,
sonrió la gran liebre.
Y dio tal brinco que
sus orejas rozaron las ramas
de un árbol.

«¡Qué salto!», pensó la liebre pequeña. «¡Cómo me gustaría saltar así!»

«¡Te quiero de aquí hasta el final
de aquel camino, hasta aquel río
a lo lejos!», gritó la pequeña liebre.

«¡Yo te quiero más allá del río
y de las lejanas colinas!»,
dijo la liebre grande.

«¡Qué lejos!», pensó la liebre pequeña color de avellana.

Tenía tanto sueño que no podía pensar más.

Entonces miró por encima de los arbustos, hacia la enorme oscuridad de la noche. Nada podía estar más lejos que el cielo.

«Te quiero de aquí a
la LUNA», dijo,
y cerró los ojos.

«Eso está muy lejos»,
dijo la liebre grande.
«Eso está
lejísimos».

La gran liebre color de avellana
acostó a la liebre pequeña
en una cama de hojas.

Se quedó a su lado
y le dio un beso
de buenas noches.

Luego se acercó aún más y le
susurró con una sonrisa:
«Yo te quiero de aquí a la luna…

…Y VUELTA.»